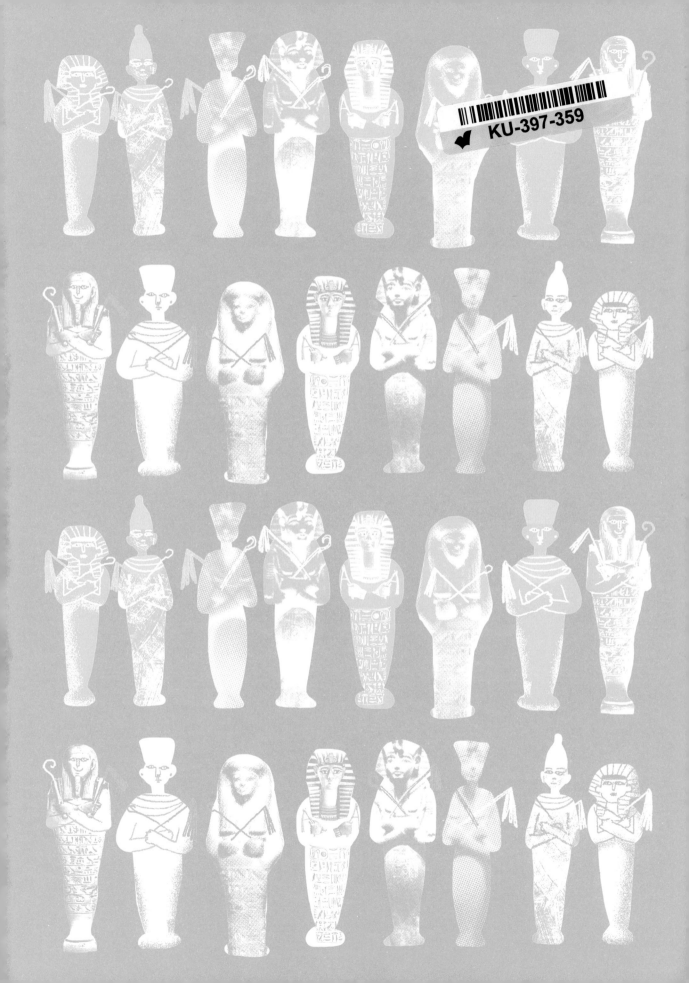

EL FARAÓ TUTANKAMON

HO EXPLICA **TOT!**

Per al Ciarán
C.N.

Per als meus fills Lucca i Vicente,
vosaltres sou el meu veritable tresor!
G.K.

EL FARAÓ TUTANKAMON

HO EXPLICA **TOT!**

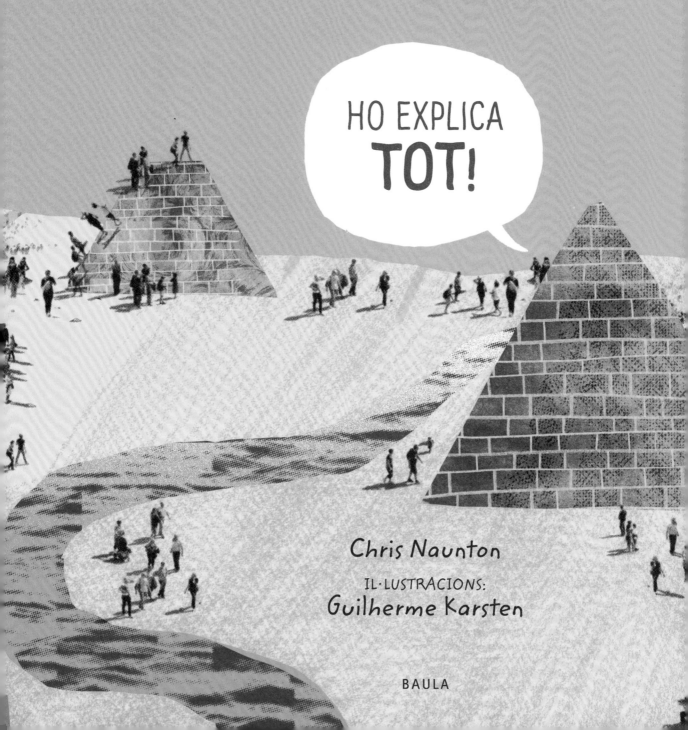

Chris Naunton

IL·LUSTRACIONS:
Guilherme Karsten

BAULA

ÍNDEX

AL MUSEU

LA TOMBA DEL FARAÓ TUTANKAMON
1323 a. C.

Aquest espectacular taüt es remunta a la 18a dinastia de l'antic Egipte. Conté les restes momificades de Tutankamon, el faraó conegut com el rei nen, que va morir a la curta edat de 18 anys. Aquí se'l veu envoltat d'*uixebtis*, que significa 'el que respon'.

Els *uixebtis* són figuretes del rei i es creia que li feien la feina al més enllà. El *Llibre dels Morts* esmenta la fórmula que s'ha de dir per fer-los treballar: «Oh, *uixebti*, si tinc alguna feina per fer al més enllà, tu la faràs per mi. I em respondràs: "Soc aquí!"».

Genial! Imagina't tenir uns petits sequaços com aquests que treballen per tu. Ei, uixebti... SOC AQUÍ! Tinc algunes feines a casa perquè m'ajudis i una germaneta per fer-li de cangur.

Per-do-na! Aquests uixebtis són MEUS, i ja estan prou ocupats impedint que els tafaners com tu em molestin al més enllà.

AAAAAH! ÉS VIU!!!

HOLA, SOC
EL REI TUTANKAMON

Estimat lector,

Potser em coneixes dels relats èpics com l'excavació de la Vall dels Reis per Howard Carter, els saquejadors de tombes i altres aventures emocionants. Benvingut a la meva vida al més enllà.

Des que vaig morir, l'any 1323 a. C., no he parat de rebre visites: turistes fent-se selfies, egiptòlegs tocant-me amb la punta del dit i nens que fan massa preguntes. No paren d'interrompre'm en el que hauria de ser el meu descans, en el temps en què hauria de meditar sobre la meva reencarnació. No sembla una situació gaire pròpia d'un rei, veritat?

A les pàgines següents t'explicaré els insòlits, increïbles i singulars detalls de la meva vida a l'antic Egipte... però a la meva manera i amb les meves pròpies paraules. Et prometo riures i llàgrimes, i acabaràs inclinant-te i adorant-me. Perquè soc, ni més ni menys, el faraó Tutankamon.

Atentament,
Tut xx

HI HAVIA UNA VEGADA...
A L'ANTIC EGIPTE

Encara que només soc un adolescent, la gent d'Egipte em té por. Soc el rei de tots els reis i governo el regne més ric del planeta. Així és com funcionem...

ESTIU TOT L'ANY

La meva família ha viscut al desert del Sàhara durant segles. Aquí sempre és estiu. Els nostres palaus i temples estan dissenyats perquè siguin molt frescos i tot el nostre aire condicionat prové de fonts renovables (em refereixo als criats).

VIURE A LA VORA DEL RIU

A més de les esplèndides vistes, viure al costat del Nil té molts avantatges. Quan el riu es desborda rega gratis els camps dels pagesos, i això facilita les collites d'aliments.

OBRERS IL·LIMITATS

Cada any el Nil inunda i fertilitza el sòl. Per mantenir els pagesos ocupats mentre els seus camps estaven inundats, als meus avantpassats se'ls va ocórrer que podien arrossegar 2 milions de blocs de pedra fins al mig del desert. Veus aquella piràmide? Es van necessitar 50 000 persones i 20 anys per construir-la. Bufar i fer ampolles!

MÉS RIC QUE BILL GATES

Pot ser que no tinguem diners, a l'antic Egipte, però això no impedeix que nedem en l'abundància. Jo soc tan ric que no necessito posar-me el mateix parell de sabates dos cops. Al meu costat, Bill Gates i Jeff Bezos són uns passerells.

COM EM VAIG CONVERTIR EN **EL REI NEN**

La meva família està guillada. Hem governat Egipte durant segles, que ja és prou estressant. Els fets que van provocar que em coronessin rei als 9 anys no són gens habituals...

1 L'AVI ES MOR

El meu avi, el faraó Amenhotep III, es mor abans de néixer jo. Va construir algunes obres increïbles, com el temple de Luxor, a Tebes. Després d'ell, pren el poder el faraó Akhenaton. No sé si Akhenaton és el meu pare de veritat, però, en tot cas, m'agrada dir-li «papa».

2 ENS MUDEM

Tot va bé... fins que el papa decideix construir una ciutat nova de trinca anomenada Akhetaton (que ara es diu Amarna). Allà hi reinstal·la la nostra família i tots els habitants de Tebes, entre els quals l'àvia Tiy.

❸ L'ÀVIA ES POSA MALALTA

La meva àvia Tiy és genial,
però també imposa una mica.
A molta gent no li cau bé,
però és el meu parent favorit
(encara guardo un floc de
cabells seus en una capsa).
Així doncs, quan l'àvia es posa
malalta em sento molt trasbalsat.

❹ NO HI HA LLOC A LA TOMBA

Quan l'àvia es mor, el papa diu: «Bé, vull que
l'enterrin a la meva tomba, aquí a Amarna».
El seu constructor, Hatiay, li contesta: «Em sap
molt greu, però no hi ha lloc per a ella». I el papa
respon: «Doncs és la meva mare i jo soc el rei,
així que hauràs de trobar una solució».

❺ DEFINITIVAMENT, L'ÀVIA ÉS MORTA

Així que construeixen un lloc
a la tomba reial per a l'àvia
Tiy al costat del forat que
ocuparà el papa. El decoren
amb gravats de gent plorant
i fiquen l'àvia en diverses
capelles, com una nina russa.
I és llavors quan me n'adono:
l'àvia és morta de veritat.

6 EL PAPA S'UNEIX A UN CULTE

Ja t'he dit que el papa també va decidir canviar de religió? Abans de desplaçar tota la nostra població a una ciutat nova de trinca, va inventar un nou culte i va manar que tothom adorés Aton, el disc solar. Els déus preferits per tothom, Amon i Mut, es van sentir una mica abandonats. Per tant, quan el papa es mor, tothom sospira alleujat. Al capdavall, els déus són molt més poderosos que qualsevol rei, fins i tot jo!

HOLA, em dic ~~NEFERTITI~~

NEFERNEFERUATON

7 LA MAMA PASSA UNA CRISI

Després de morir el papa, la meva madrastra Neferneferuaton-Nefertiti pren el poder, però pateix una crisi de confiança. S'abreuja el nom a Neferneferuaton, que conté la paraula «Aton». Vol fer saber a tothom que el nostre déu desitja que sigui la reina..., no només perquè tots els altres ja s'han mort.

8 TORNEM A TEBES

La gent comença a convèncer Neferneferuaton perquè tot sigui com abans. Així que fem les maletes i ens mudem de nou a Tebes. Però per alguna raó les mòmies del papa i l'àvia queden enrere... (crec que no hi ha pensat).

TEBES

MUDANCES més enllà

⑨ FARAÓ ALS 9 ANYS

Aleshores Neferneferuaton es mor i em converteixo en rei. NOMÉS TINC 9 ANYS! No puc deixar de pensar que ens hem descuidat el papa i l'àvia, així que decideixo anar a buscar-los.

⑩ PERDEM POPULARITAT

Quan arribo a ser rei, el papa s'ha fet molt impopular. Tots els sacerdots que l'obeïen sense piular quan ell vivia ara diuen que les seves innovacions no els van acabar de convèncer! Per això, quan traslllado les tombes del papa i l'àvia a Tebes he de tenir cura. Ho marco tot amb el meu segell reial per assegurar-me que ningú toqui res.

⑪ ALGÚ ROBA L'ÀVIA

El papa i l'àvia són ara en una petita tomba de la Vall dels Reis, amb totes les seves pertinences que hi he pogut ficar. Però no t'ho creuràs: algú s'hi esquitlla, roba totes les coses de valor, desembolica l'àvia i la fica en una altra tomba! A ella no li fa gaire gràcia.

COM S'ATREVEIXEN!

AQUÍ MANO JO

Per si encara no ho has captat, soc el sobirà de tot el món. Bé, almenys del món que conec. Vols un consell? Deixa que els teus avantpassats i enemics et facin la feina.

APROFITA LES CONQUESTES DEL TEU AVI

Els meus avantpassats van fer moltes conquestes, sobretot el meu rerebesavi Tuthmosis III. Va començar conquerint un regne a l'est d'Egipte anomenat Naharina i ja no va parar. Va acabar conquerint 350 ciutats en zones de l'actual Palestina, Israel, Jordània, el Líban, Síria, l'Iraq i Turquia, a més del Sudan, al sud d'Egipte. El nostre imperi és enorme!

ROBA ALS TEUS ENEMICS

Els enemics no estan tan malament, sobretot si els pots fer miques i robar-los totes les seves millors idees. Gràcies als hikses, enemics d'Egipte, aconseguim cavalls, carros, fones, javelines i bumerangs. I dels nubis hem après a lluitar amb un nou tipus d'arc i fletxes. Ens han ajudat a dominar el món sense proposar-s'ho. Gràcies, col·legues!

Ei, AQUEST ARC ES MÉU!

NO LLUITIS SI NO ET CAL

Estic entrenat per lluitar, però poques vegades ho faig. Des que em vaig convertir en faraó la meva principal preocupació ha estat restablir l'ordre després del descontentament que va provocar el papa. Al més enllà també et trobes amb enemics, així que prefereixo aprofitar la vida a la Terra per passar-ho bé sense prendre mal. A més, amb l'aparició de noves armes de metall com les dagues, qui vol lluitar si es pot evitar?

LA MEVA MORT PREMATURA

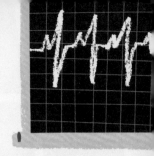

Tot i ser tan ric i poderós, no deixo de ser un ésser humà.
I, en el meu cas, això implica tenir una mort prematura.
Com? Ja t'agradaria saber-ho!

TEORIA 1: **ASSASSINAT**

Un anatomista creu que un dels meus enemics
em va clavar un cop al cap. Com si deixés
que els meus enemics se m'acostessin tant!
Segur que el forat que tinc al crani no és
culpa d'un arqueòleg potiner?

TEORIA 2: **ACCIDENT DE CARRO**

Una teoria molt popular
és que vaig morir quan
viatjava amb carro, cosa
que nego. Soc molt bon
conductor, moltes gràcies!

TEORIA 3:
PEU BOT

Alguns experts mèdics que han fet servir estudis genètics creuen que la meva mort té a veure amb tenir un peu bot, un defecte del peu. Reconec que la medicina de l'antic Egipte no estava tan avançada com ara, però haver nascut amb un peu bot no era suficient per matar-me.

TEORIA 4:
FERIDA AL GENOLL

Els arqueòlegs observen que tinc una lesió al genoll i conclouen que això em va matar. T'has fet mai mal en un genoll? I oi que no t'has mort? Doncs això!

LA RESPOSTA?

No et fiquis on no et demanen! Pots seguir provant d'esbrinar-ho, però no t'ho diré. Als egipcis ens interessa molt més la nostra vida terrenal i la nostra vida al més enllà que la manera de morir. El pas d'una vida a l'altra no és important. Deixa-ho estar!

EL MEU ENTERRAMENT MATUSSER

Per enterrar-te, t'han d'embolicar en moltes capes, com un regal enorme. Però com que em vaig morir de sobte, les coses no van anar com estava previst...

1 RÀPID, TROBEU UNA TOMBA!

Havia planificat una tomba molt més gran que la que ara ocupo. Però em vaig morir abans que l'acabessin i van haver d'enterrar-me a la d'algú altre. És minúscula: té només quatre cambres!

2 CONSTRUÏU UNS QUANTS TAÜTS

El meu taüt és en realitat tres fèretres que encaixen l'un dins l'altre. Primer, fiquen el meu cos en un d'or massís, que es tanca dins d'un altre de fusta revestit d'or, que s'introdueix en un tercer, també recobert d'or.

③ RECICLEU UN SARCÒFAG

A causa de la meva mort prematura, els sacerdots i funcionaris encarregats del meu enterrament opten per aprofitar el sarcòfag, o caixa de fusta, d'una altra persona. Quan hi fiquen el meu taüt, s'adonen que és massa curt i no m'hi caben els peus! I què fan? SERRAR l'extrem del meu taüt! Les estelles de fusta que hi ha al fons del meu sarcòfag ho demostren!

④ COBRIU-LO AMB CAPELLES

Després cobreixen el meu sarcòfag amb una sèrie de capelles d'or que semblen casetes. N'hi ha quatre, cadascuna més gran que l'anterior.

⑤ ENCABIU-LO A LA CAMBRA FUNERÀRIA

Ara faig la mateixa mida que la cambra funerària, i, per tant, hi estic una mica estret... Hi ha espai suficient perquè una persona molt prima hi entri de costat, però res més.

FENT L'EQUIPATGE PER AL MÉS ENLLÀ

El **més enllà** no és una becaineta... és **una altra vida!** Per tant, em sento terriblement alleujat quan els meus parents entaforen tot el que poden dins la meva tomba. Vine a veure tot el que m'han preparat...

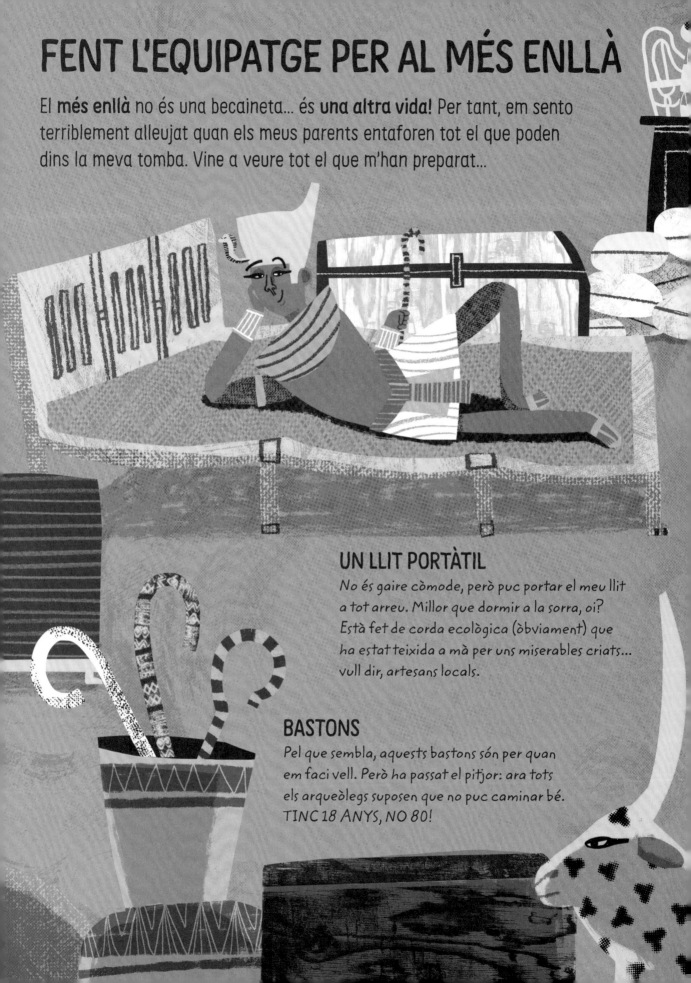

UN LLIT PORTÀTIL
No és gaire còmode, però puc portar el meu llit a tot arreu. Millor que dormir a la sorra, oi? Està fet de corda ecològica (òbviament) que ha estat teixida a mà per uns miserables criats... vull dir, artesans locals.

BASTONS
Pel que sembla, aquests bastons són per quan em faci vell. Però ha passat el pitjor: ara tots els arqueòlegs suposen que no puc caminar bé. TINC 18 ANYS, NO 80!

ARMES D'ALTA TECNOLOGIA

Arcs, fletxes, escuts, bla-bla-bla...,
res d'especial. Però deixa'm que t'ensenyi
les meves dagues. Aquesta és feta
de FERRO, n'has sentit a parlar? És un
material increïble, d'altíssima tecnologia
i duríssim. Ideal per espantar els lladres
de tombes...

CARROS VELOÇOS

Com que soc el faraó, tinc
enemics a tot arreu, fins i tot
al més enllà. Per això m'alegro
que els meus parents hagin pensat
a enterrar-me amb un mitjà per
fugir. Els carros estan decorats
amb imatges dels meus enemics
lligats amb cordes. Transmet
un missatge clar, no creus?

VIATGE AL MÉS ENLLÀ

Arribar al més enllà no es fa amb un simple espetec de dits (o de coll). És literalment un viatge. Afortunadament, les pintures de la cambra funerària assenyalen el camí.

① RESPIRA FONDO

El sacerdot que t'embalsama el cos abans d'enterrar-te farà màgia sobre la teva mòmia perquè puguis menjar, beure i respirar després de mort. És el teu esperit, el que viatjarà al més enllà, mentre que la mòmia es quedarà a la tomba. És possible que el teu esperit vulgui tornar en algun moment per descansar, així que no deixis de respirar!

② VES A TROBAR OSIRIS

El més enllà és un lloc anomenat Duat. Troba-hi el déu Osiris (és fàcil d'identificar perquè té la pell verda). Ell et pesarà el cor en una balança i et jutjarà. Val més que hi vagis preparat.

❸ SEGUEIX EL SOL

Per sort, la gent que em va enterrar em va posar correctament dins la tomba, amb el cap apuntant cap a l'oest. Cada dia el déu sol Ra viatja a través del cel de llevant a ponent. Després passa darrere l'horitzó i viatja a través de la nit en una barca. No la perdis de vista!

Els dotze babuïns del meu mural em diuen que trigaré dotze hores a arribar, el mateix temps que triga Ra a viatjar a través de la nit.

Daixò... per què Ra sembla un escarabat?

Els déus egipcis es poden encarnar en més d'un ésser alhora. Segur que deus haver vist algun vídeo d'un escarabat fent rodolar una bola de fems per terra. El sol també és una bola, que un escarabat (el deu Ra) fa rodolar pel cel cada dia.

❹ SIGUES POSITIU

El viatge és llarg, així que és important mantenir un estat d'ànim positiu. Mirant aquestes fotos, tinc un bon pressentiment.

NuT + jo!
(dia al·lucinant)

Aquest soc jo amb Nut, deessa del cel: una celebritat.

OSi, JO i JO (un altre cop)

Aquest soc jo abraçant el meu amic Osiris amb... un altre jo! En realitat, el segon jo és el meu ka o esperit. Mentre surto a buscar Osiris el meu ka viurà a la meva tomba per sempre.

VESTIT PER FER BONA IMPRESSIÓ

No sé d'on va sortir la idea que les mòmies ronden amb les benes amb què les van enterrar. Quin fàstic! Si han de jutjar la teva vida passada, t'has de vestir per fer bona impressió.

ROBA PREFERIDA

Res com aquesta túnica per dir «aquí mano jo».
Està feta de lli, així no em sufoco quan m'he d'enfadar amb els criats.
I el coll i les vores tenen dissenys de Síria, un altre país insignificant del qual he agafat unes quantes idees i riqueses.
Soc molt cosmopolita, així.

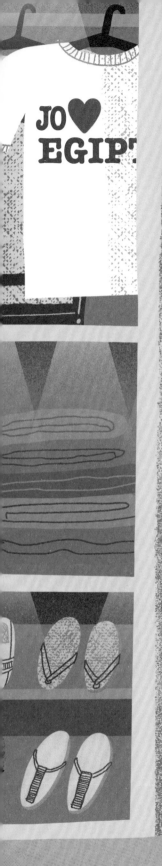

ADORNS SERIOSOS

Quines joies em posaré? En tinc tantes que em costa decidir-me! Quan era més jove m'agradaven les arracades, però ara em fan semblar massa infantil. Un pectoral és molt més adult. Però quin, el falcó amb les ales obertes o l'escarabat?

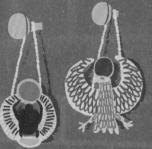

EN CALÇOTETS

Os pedrer! M'acabo d'adonar que els meus calçotets vells són dins la tomba. Quina vergonya. Espero que aquell arqueòleg, Howard Carter, no els trobi, perquè ho documenta TOT.

TREPITJANT FORT

M'encanten les sabates. N'he guardat tots els parells que he tingut des de petit. Algunes estan impecables, amb prou feines me les he posat. Aquestes tenen imatges dels enemics d'Egipte a les soles, per trepitjar-los a cada pas! Potser una mica brusc, però una part de les meves funcions és conquerir tots els pobles que pugui. Ja saps quin peu calço!

27

PROTECCIÓ ESPIRITUAL

Que com puc ser tan assenyat fins i tot després de mort?
M'envolto de persones que sé que no em mataran...
Recorda que és possible morir dues vegades!

MANTÉ LA FAMÍLIA A PROP

Si la teva família té tants enemics com
la meva, casa't amb algú que no tingui interès
a apunyalar-te mentre dorms, com un germà
o germana. Jo estic casat amb la meva
germanastra Ankhesenamon, a qui estimo
molt, tinc un retrat seu al meu tron.
Per què et sembla estrany?

ENVIA ADVERTÈNCIES

Totes les meves cadires, llits i sofàs
tenen gravades potes de lleó.
Això envia un missatge clar:
«Respecta'm o et faré miques».

ATENCIÓ AL ~~COS~~ DEU

Aquest és el meu déu protector,
Anubis (en realitat, és un xacal
salvatge). Anubis s'encarrega de
la momificació i ajuda Osiris
a jutjar si t'has portat prou bé
per arribar al més enllà. Ull viu!

« Soc jo qui impedeix que la sorra entri aquí...
Soc aquí per protegir el difunt... »

ANTICS GORIL·LES

T'encantaran les meves estàtues protectores!
Són grans, subjecten maces i estan llestes
per esclafar qualsevol que es proposi entrar.
És una llàstima que cridin l'atenció cap
a la falsa paret que oculta la meva
cambra funerària...

AQUÍ NO HI HA RES A VEURE!

Com sap
Osiris si he
estat bo?

Et pesaran el cor en una balança contra
una ploma que pertany a Maat, la deessa
de la veritat. Si el teu cor inclina la balança,
vol dir que has estat dolent i seràs devorat
per Ammut, un monstre amb potes posteriors
d'hipopòtam, potes davanteres
de lleopard i cap de cocodril.

SOPAR DESPRÉS DE MORT

Que m'hagin tret l'estómac físic no vol dir que el meu *ka*, o esperit, no tingui gana. Qui es pot resistir a un banquet com aquest?

FES-TE ENTERRAR AMB UN XEF PRIVAT

El meu equip funerari ha fet una feina excel·lent omplint-me la tomba de menges delicioses. I si baixen les existències, només em caldrà ordenar als meus uixebtis que facin més pa i cervesa amb grans d'ordi i pisana.

SEGUEIX UNA DIETA RICA EN FIBRA

La fruita i la verdura són tan importants al més enllà com a la Terra. Les meves provisions inclouen cigrons, llenties i pèsols secs, i per condimentar-los: anet, coriandre, fenigrec, sègol i comí. Per postres? Dàtils de diferents tipus, panses, gínjols i ametlles. Deliciós!

PLAT DEL DIA

El meu equip funerari va etiquetar les quaranta-vuit caixes de carn amb cura, però per alguna raó es van barrejar... Quin desastre! Tot i això, està bé tenir una sorpresa cada vegada que n'obro una. Quin serà avui el plat del dia: vedella, cabra, ànec o oca?

VÍ DOLÇ | Elaborat per Nakhtsobek
Casa d'Aton, Nil Occidental

VÍ DE MAGRANA | Elaborat per Nakht
Casa d'Aton, Tajru

LA CARTA DE VINS

La majoria d'egipcis beuen cervesa,
però la meva beguda preferida és més
sofisticada, com jo. Tinc més de
cinquanta gerres de vi per triar,
entre les quals algunes produïdes
pel meu vinater personal, Kha,
a les vinyes reials de Tebes.

Un ximple d'Anglaterra
va tenir l'arrogància de tocar
la meva trompeta de plata a la
ràdio i endevina què va passar:
la va trencar. No m'estranya:
es triga anys a dominar-la!

Qui ha trencat
la trompeta?

MÚSICA DE FONS

Els *uixebtis* són útils per a moltes coses.
Si vull animar la vetllada, els dono aquestes
campanetes, un sistre —semblant a una
pandereta— i trompetes, i els dic que
donin canya.

31

CONJURS PER SER FELIÇ AL MÉS ENLLÀ

Hi ha el perill que alguns dels meus comportaments a la Terra se'm girin en contra, així que m'he pres la molèstia de preparar uns conjurs màgics per influenciar els déus a favor meu.

ESCRITS SOBRE PAPIR

Ja fa temps que em plantejo una edició personalitzada del *Llibre dels Morts*, escrita sobre un rotlle de papir de 6 metres. Inclou tots els conjurs que puc necessitar per protegir-me en el viatge al més enllà i per gaudir de tot allò que la vida eterna em pugui oferir.

IMATGE DEL PARADÍS

He seleccionat els millors escribes del país i els he demanat que representin imatges d'Aaru, el Camp de Joncs. És allà on tothom espera viure eternament, i, per tant, crec que com millor sigui el meu dibuix, més probabilitats tindré d'aconseguir un lloc ideal al paradís.

UN CONJUR PER MOSTRAR LA MEVA PERFECCIÓ

Confio que Osiris em jutjarà amb justícia, però també vull assegurar-me que sàpiga com de bo he estat. Aquest és el conjur que faré servir quan ens trobem:

«Salutacions, gran déu! Sé qui ets! He vingut per explicar-te tota la veritat, sense mentides! De fet, no he mentit mai, no he empobrit mai ningú, no he fet res dolent ni cap mal, no he fet passar gana ni he fet plorar ningú... [i així segueixo una bona estona].»

Com que se n'han oblidat?

Auxili, els sacerdots s'han oblidat d'enterrar-me amb el meu llibre de conjurs! Com sobreviuré al més enllà sense ell?!

LA MEVA TOMBA QUEDA SEPULTADA

La majoria de la gent creu que al desert no hi plou.
Però aquesta vegada la pluja és tan forta
que inunda tota la Vall dels Reis.

SITUACIÓ PRIVILEGIADA

La Vall dels Reis és el lloc del desert on ens enterren a tots els faraons en un enorme cementiri reial. Té una situació privilegiada, apartada del concorregut riu Nil amb els seus temples i palaus, però a prop de les Muntanyes Occidentals, on es pon el sol i on viu Osiris.

ENTERRAT DE NOU

Poc després del meu enterrament, comença a ploure a les Muntanyes Occidentals i la vall s'inunda. Segellen la meva tomba just a temps! Les aigües de la inundació amunteguen pedres i terra sobre l'entrada a la meva tomba i la sepulten del tot. Ara ningú sap on trobar-me!

AGLOMERACIÓ AL DESERT

La vall ja estava força atapeïda, però després de la inundació
encara costa més saber on comença una tomba i on acaba
l'altra. Els obrers del rei Setnakht es fiquen sense voler a la
tomba del rei Amenmesse durant la construcció d'un llarg
corredor... ui! Després els constructors de Ramsès VI planten
les cabanes dels seus treballadors sobre la meva tomba,
així que la seva entrada és al mateix lloc que la meva.

LA VISITA DE HOWARD CARTER

Ara ja fa segles que dormo, gaudint plenament del més enllà.
Així que ja et pots imaginar el meu disgust quan Howard Carter
em desenterra el 1922.

1 COMENÇA L'EXCAVACIÓ

A principis del segle XX els arqueòlegs
comencen a excavar a la Vall
dels Reis en cerca de tombes.
S'acosten molt a la meva, però creuen
que ja han desenterrat tot el que es
podia trobar. Excepte un britànic
anomenat Howard Carter...

2 CALENT, CALENT!

El senyor Carter fa 7 anys que excava
a la vall buscant-me, la qual cosa em fa
posar nerviós. Primer troba algunes pertinences
meves. Després descobreix les cabanes sobre
la tomba de Ramsès VI, i això el convenç
per cavar més avall...

3 **UNA ESCALA INDICA EL LLOC**

El 4 de novembre de 1922 el senyor Carter i els seus obrers estan sospitosament callats. Em sembla que en sé el motiu: han trobat l'escala que porta a la meva tomba. Desenrunen l'escala i en descobreixen l'entrada.

4 **NO MOLESTEU**

L'entrada a la meva tomba està segellada. Doncs bé, la majoria de la gent creuria que ja no es pot anar més enllà... però no pas el senyor Carter! Reconeix els signes del cementiri reial estampats al segell d'argila de la porta i decideix obrir-la.

5 **FORÇAR I ENTRAR**

Howard Carter espera durant tres setmanes que el seu cap, Lord Carnarvon, arribi des d'Anglaterra abans d'entrar a la meva tomba. A hores d'ara s'hi ha aplegat una colla de funcionaris egipcis. Es fixen en dues coses: que el meu nom està escrit en jeroglífics sobre la porta i que algú hi ha entrat abans...

SAQUEJADORS DE TOMBES

Howard Carter no va ser el primer a entrar a la meva tomba...

SAQUEJADOR DE TOMBES 1

Tot just m'acabava d'adormir quan algú va entrar per primera vegada a la meva tomba. No s'hi va estar gaire, només va fer una mica de soroll i se'n va anar. Això va ser abans de les inundacions.

SAQUEJADOR DE TOMBES 2

Els segons saquejadors de tombes es van endur bona part de les meves precioses joies, que podrien vendre fàcilment. Però com que els van enxampar, van ser castigats: els van assotar les plantes dels peus abans d'empalar-los en una estaca... Quin mal!

DISSENY ANTIROBATORI

Les tombes estan dissenyades per despistar els lladres. Els constructors creen passadissos que no porten enlloc, construeixen sales buides, oculten cambres funeràries com la meva darrere de parets falses i dissimulen les entrades amb pedres enormes. Però, malgrat tots aquests esforços, els lladres encara troben la manera d'entrar.

SAQUEJADOR DE TOMBES 3

Quan Carter va veure les proves d'aquestes intromissions anteriors no li va preocupar que em faltessin elements essencials per al més enllà. Li preocupava que, després de tants anys cavant, no li quedés cap tresor. No sabia que soc extremadament ric? Tant se val quant hagin robat, que la meva tomba està ben plena!

SAQUEJADOR DE TOMBES 4

Uns anys després que Carter acabés la seva feina uns lladres van tornar a entrar a la meva tomba i es van emportar el que hi quedava. Però saps el pitjor? Van fer malbé la meva mòmia i em van trencar les costelles! Deixeu-me respirar!

TRESOR

SALT A LA FAMA

Gràcies a Howard Carter em faig encara més famós del que ja era.
Gent d'arreu del món m'adora!

ACAPARANT TITULARS

«Extraordinari descobriment a Egipte.»
«Trobada una nova tomba, la més gran
d'Egipte.» «La mòmia de Tutankamon,
revestida d'or.» El meu nom surt publicat a tots
els diaris. La idea que Howard m'ha descobert
em fa molta gràcia: sempre he sabut on era!

GALANT DE CINE

La imatge més coneguda de mi és la meva
imponent màscara funerària. Com que les càmeres
l'afavoreixen, em converteix de cop en una estrella
de cinema! Inspiro incomptables històries sobre
mòmies, saquejadors de tombes i l'antic Egipte.

PRÒXIMA SESSIÓ – DIJOUS 1

LA MÒMIA

UNA ATRACCIÓ TURÍSTICA

Abans que Carter analitzi res del que contenia, la meva tomba es converteix en una atracció per a turistes, amb reporters de premsa d'arreu el món demanant visitar-la cada dia. Lord Carnarvon ven els drets d'informar sobre el contingut de la tomba al *The Times* de Londres per pagar els seus investigadors i per aturar el flux de reporters tafaners.

LA MALEDICCIÓ DE LA MÒMIA

Lord Carnarvon es mor per la picada d'un insecte sis mesos després de descobrir la meva tomba. La gent confon els conjurs gravats en ella amb malediccions i me'n fa responsable. Així neix la «maledicció de la mòmia», i la meva fama continua augmentant.

PICADA ASSASSINA
LA MALEDICCIÓ DEL REI TUTANKAMON

LES INTIMITATS DEL
FARAÓ TUTANKAMON

És gràcies a la pràctica egípcia de la momificació que les meves restes estan tan ben conservades.

COM FER UNA MÒMIA

1 Fes un tall al costat del cos del cadàver i treu tots els òrgans interns excepte el cor. Guarda els òrgans en petits vasos canopis.

2 Insereix una vareta pel nas per triturar el cervell. Deixa que s'escorri per les fosses nasals.

3 Farceix i frega el cos amb natró, un tipus de sal. Deixa'l assecar durant quaranta dies.

4 Substitueix el natró per serradures i lli. Unta la pell amb oli i embolica-la amb benes de lli.

EL DESPULLAMENT

Quan Carter em descobreix,
ell i els seus ajudants retiren tot
el que em cobreix, des de la capella
exterior fins a les benes.
Només em deixen posats el casquet
i el collaret (que no em poden treure
perquè els tinc enganxats a la pell).
Em sento molt vulnerable.

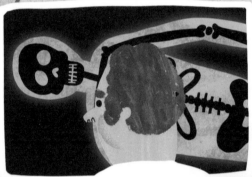

VIURÉ PER SEMPRE!

Encara que em tapen quan venen visites,
els egiptòlegs insisteixen a despullar-me
una vegada i una altra per passar-me
per rajos X i per tomografia computada...
Com m'haig de veure! Però he de confessar
que m'agrada sortir en pantalla
contínuament. És just el que sempre
he volgut: ser el faraó més famós
de tots i viure per sempre!

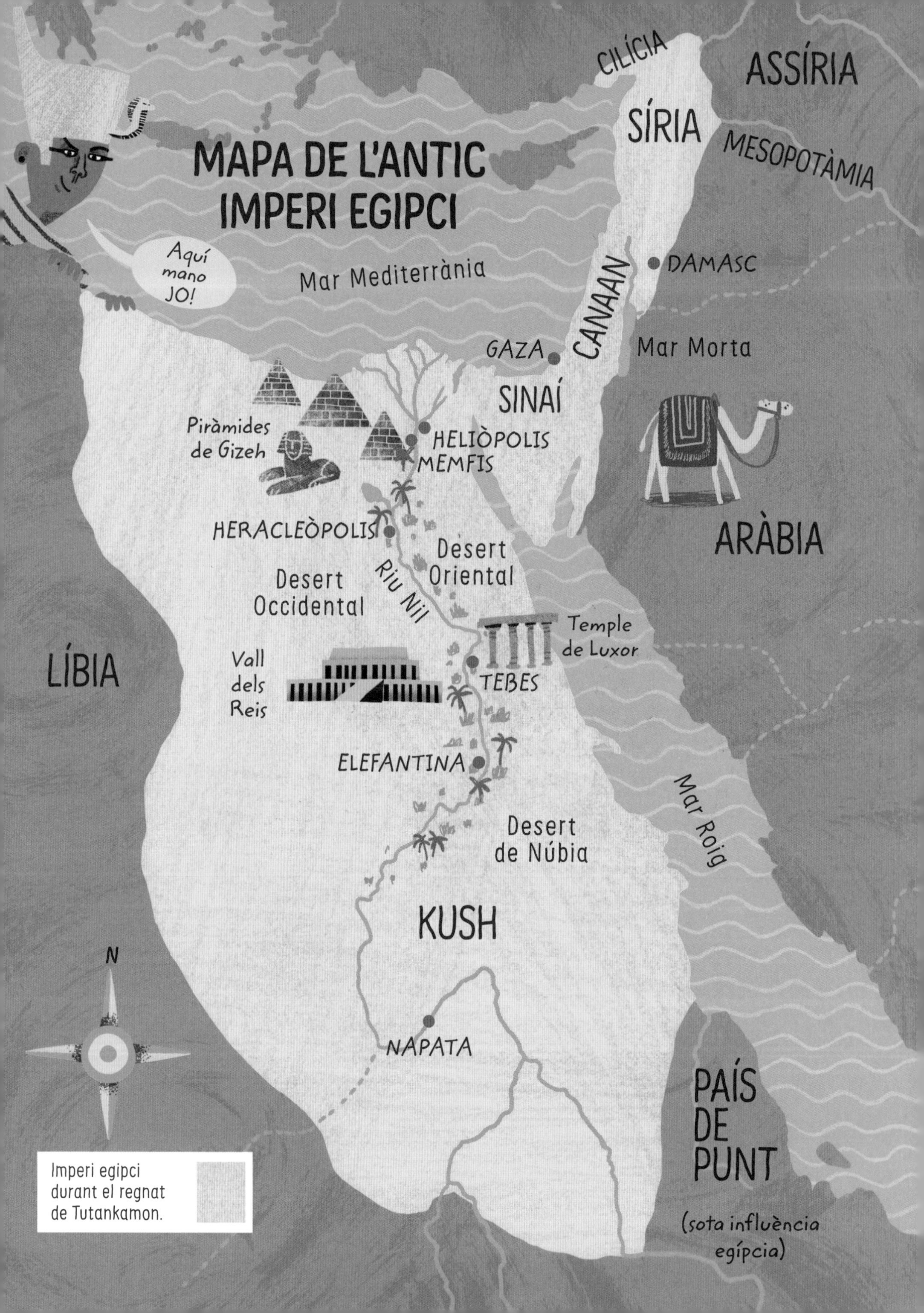

MAPA DE L'ANTIC IMPERI EGIPCI

Aquí mano JO!

Mar Mediterrània

CILÍCIA

ASSÍRIA

SÍRIA

MESOPOTÀMIA

DAMASC

CANAAN

GAZA

Mar Morta

SINAÍ

Piràmides de Gizeh

HELIÒPOLIS
MEMFIS

ARÀBIA

HERACLEÒPOLIS

Desert Oriental

Desert Occidental

Riu Nil

LÍBIA

Temple de Luxor

Vall dels Reis

TEBES

ELEFANTINA

Desert de Núbia

Mar Roig

KUSH

N

NAPATA

PAÍS DE PUNT

(sota influència egípcia)

Imperi egipci durant el regnat de Tutankamon.

JEROGLÍFICS EGIPCIS

Els jeroglífics són els símbols gràfics utilitzats per escriure coses a l'antic Egipte, en comptes de lletres. N'hi ha més de 700 en total, així que s'ha de ser un escriba molt espavilat per saber el significat de tots.

COM S'ESCRIU EL MEU NOM

La paraula més important que has d'aprendre és el meu nom! Està format per tres paraules egípcies: «tut», «ankh» i «Amon». «Tut» significa 'imatge'. El signe «ankh» significa 'vida' o 'viu'. «Amon» és el nom del nostre déu més important. Tot junt, el meu nom vol dir 'la imatge viva d'Amon'.

És cert: soc com un déu.

Amon   tut   ankh

ALGUNS DELS MEUS ALTRES JEROGLÍFICS PREFERITS

SI
Aquest és el signe d'un **home**. S'escriu al final de cada nom d'home.

SIT
Aquest és el signe d'una **dona**. S'escriu al final de cada nom de dona.

MAAT
El signe d'una **deessa**. És Maat que té una ploma al cap. Ja l' has conegut a la pàgina 29.

MESHA
El signe d'un **arquer amb un arc i una fletxa**. També s'utilitza per escriure paraules com «exèrcit».

MIW
La paraula egípcia per dir **«gat»**. Oi que fa el so d'un gat?

EM
El signe de l'**òliba** serveix per escriure la lletra «m» i pot significar 'dins', 'en' o 'com'.

ABU
El signe de l'**elefant** s'usa per escriure «vori», el material de què estan fets els seus ullals.

UDJAT
L'**ull del déu Horus** porta bona sort. Significa que Horus et protegeix.

GLOSSARI

18a dinastia. Nom que els egiptòlegs donen al període en què Tutankamon i la seva família van regnar, des del 1539 a. C. fins al 1292 a. C.

anatomista. Persona que estudia el cos i les seves parts.

antic Egipte. Civilització del nord-est d'Àfrica que és cèlebre per les seves arts i monuments. Va durar quasi 3 000 anys, del 2925 a. C. al 145 a. C.

arqueòleg. Persona que estudia la història desenterrant objectes i estudiant-los.

artesà. Persona amb habilitat per fabricar coses a mà.

cambra funerària. Sala a l'interior d'una tomba on es col·loca la mòmia.

capella. Lloc on es guarden les restes mortals o l'estàtua d'algú sagrat o important, com ara un déu.

culte. Grup religiós que adora una persona o un objecte.

egiptòleg. Persona que estudia l'antic Egipte.

embalsamar. Tractar un cadàver amb substàncies químiques perquè no es podreixi.

equip funerari. Grup de persones que organitza l'enterrament d'algú.

escarabat. També conegut com a «escarabat piloter». Aquest insecte s'alimenta de boles de fems d'altres animals. A l'antic Egipte l'escarabat era el símbol del déu sol Ra.

escriba. Persona que treballa escrivint documents oficials a mà.

etern. Cosa que dura per sempre.

faraó. Sobirà de l'antic Egipte.

genètica. Estudi dels gens, que donen instruccions a les cèl·lules del cos sobre com créixer i desenvolupar-se. Els gens determinen moltes coses, com ara el color dels ulls i dels cabells.

jeroglífics. Símbols gràfics que representen paraules i sons i que es feien servir per escriure a l'antic Egipte.

llibre de conjurs. Rotlle de papir amb encanteris escrits.

Llibre dels Morts, el. Conjurs escrits en papir destinats a protegir una persona en el seu viatge al més enllà.

màscara funerària. Màscara utilitzada per tapar la cara d'un difunt.

més enllà. Algunes religions creuen que una persona té una segona vida després de morir, anomenada «més enllà».

mòmia. Cadàver que s'ha purificat i embalsamat per impedir que es podreixi.

momificació. Procés de convertir un cadàver en una mòmia.

natró. Mescla de sals utilitzada durant el procés de momificació per assecar un cadàver i impedir que es podreixi.

papir. Material semblant al paper fet amb la planta del papir, utilitzat a l'antic Egipte.

pectoral. Peça de joieria que es porta sobre el pit.

peu bot. Defecte pel qual una persona neix amb un peu o els dos peus girats endins, cosa que li fa difícil o dolorós caminar. Avui dia un peu bot es pot tractar amb teràpia i una operació senzilla.

piràmide. Monument utilitzat per marcar la tomba d'un difunt. Les famoses piràmides d'Egipte indiquen on estan enterrats els membres de la reialesa, però a l'època de Tutankamon acostumaven a marcar les tombes dels qui no pertanyien a la família reial.

pisana. Tipus de blat utilitzat antigament per fer aliments com ara pa i cervesa.

saquejador de tombes. Persona que entra en una tomba per robar-ne objectes.

sarcòfag. Taüt de pedra.

segell. Tros de cera o argila que es fon damunt d'un sobre, cordill o cinta per tancar-lo.

tomografia computada. Tipus de rajos X que pren imatges detallades de l'interior del cos, inclosos els òrgans interns, els vasos sanguinis i els ossos.

túnica. Peça que roba de va des de les espatlles a la cintura, o fins als genolls.

uixebti. Figureta enterrada a la tomba d'un difunt a l'antic Egipte.

vas canopi. Recipient utilitzat a l'antic Egipte per emmagatzemar els òrgans embalsamats d'un difunt.

xacal. Gos salvatge que es troba a l'Àfrica i al sud d'Àsia.

ÍNDEX ALFABÈTIC

CHRIS NAUNTON és un egiptòleg i escriptor de Londres (Regne Unit) que surt sovint a la televisió. Ha escrit molts llibres, entre els quals *Searching for the Last Tombs of Egypt* i *Egytologist's Notebooks*. Ha estat a Egipte tantes vegades que n'ha perdut el compte.

GUILHERME KARSTEN és un il·lustrador de Blumenau (Brasil) que ha guanyat molts premis de prestigi per la seva obra. Ha il·lustrat més de 30 llibres infantils.

MIXT
Paper procedent de
fonts responsables
FSC® C008047
www.fsc.org

Primera edició en català: març 2022

Traduït per: Jordi Vidal

Títol original: *King Tutankhamun Tells All!*
Publicat per primera vegada al Regne Unit
per Thames & Hudson Ltd. el 2021

© Del text: Chris Naunton, 2021
© De les il·lustracions: Guilherme Kasten, 2021
© D'aquesta edició: Baula, 2022

ISBN: 978-84-479-4684-6
DL B 18734-2021

Imprès a la Xina

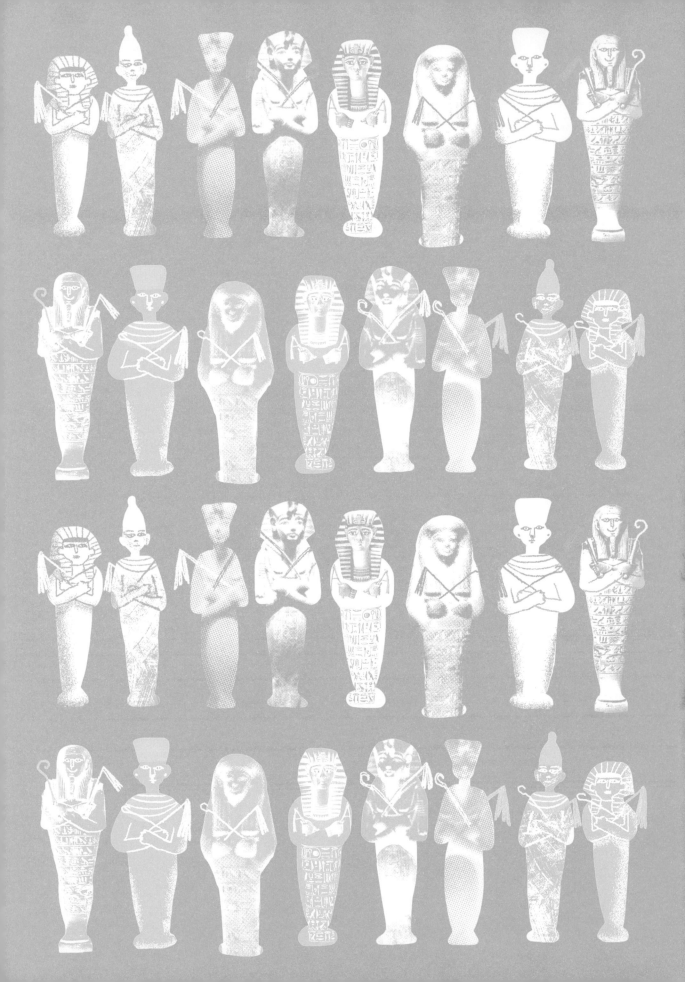